蔡襄自書詩

彩色放大本中國著名碑帖

孫寶文 編

上海辭書出版社

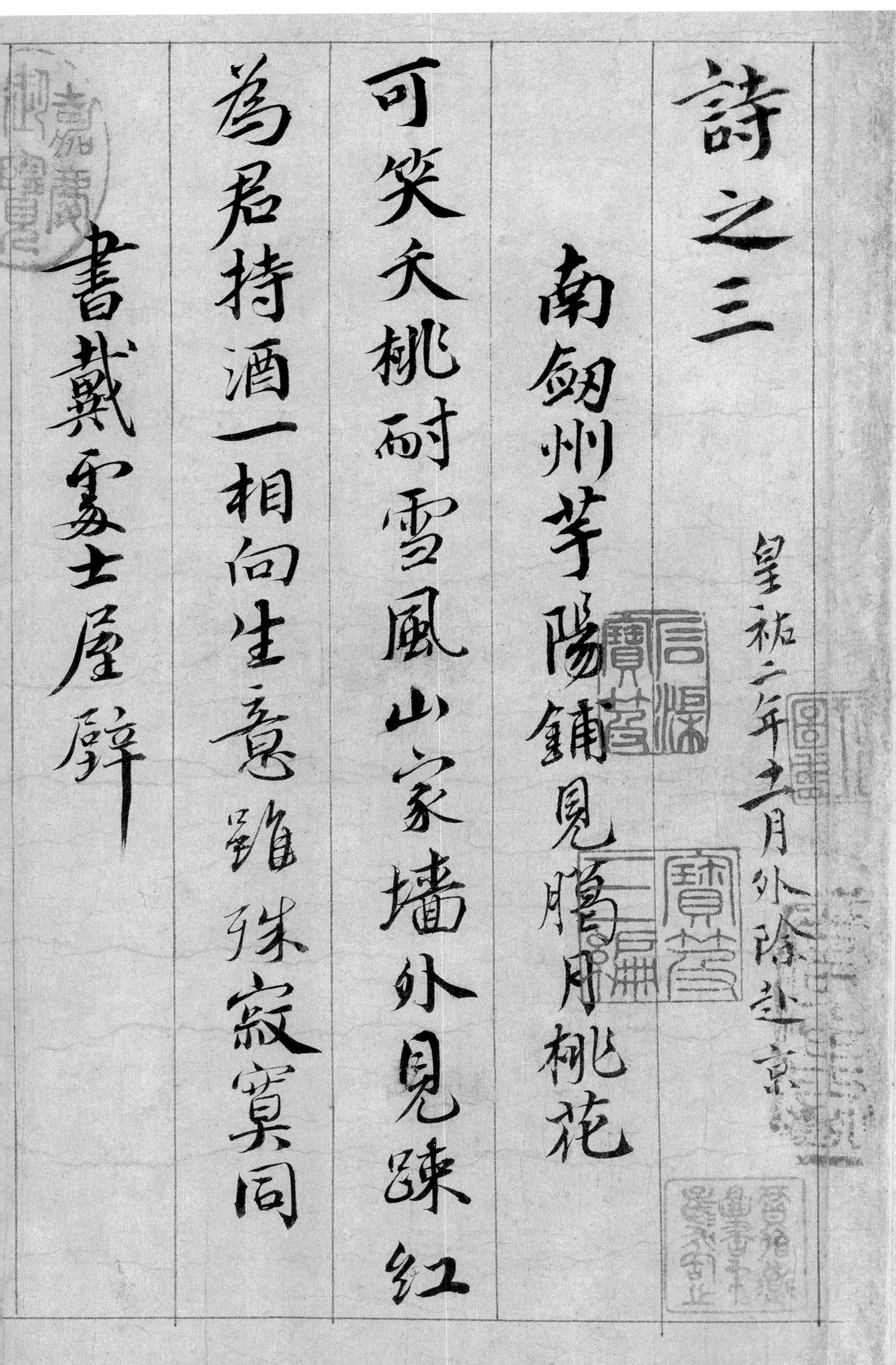

詩之三

皇祐二年十一月外除赴京

南劍州芋陽鋪見臈月桃花

可笑夭桃耐雪風山家墻外見疎紅為君持酒一相向生意雖殊寂寞同

書戴處士屋壁

長岡隆雄來北邊勢到舍下方迴旋三世白士猶醉眠山翁作善天應怜如彼菐源今流泉兒孫何數鷹馬然有起家者出其間願翁壽考無窮年

題龍紀僧居室

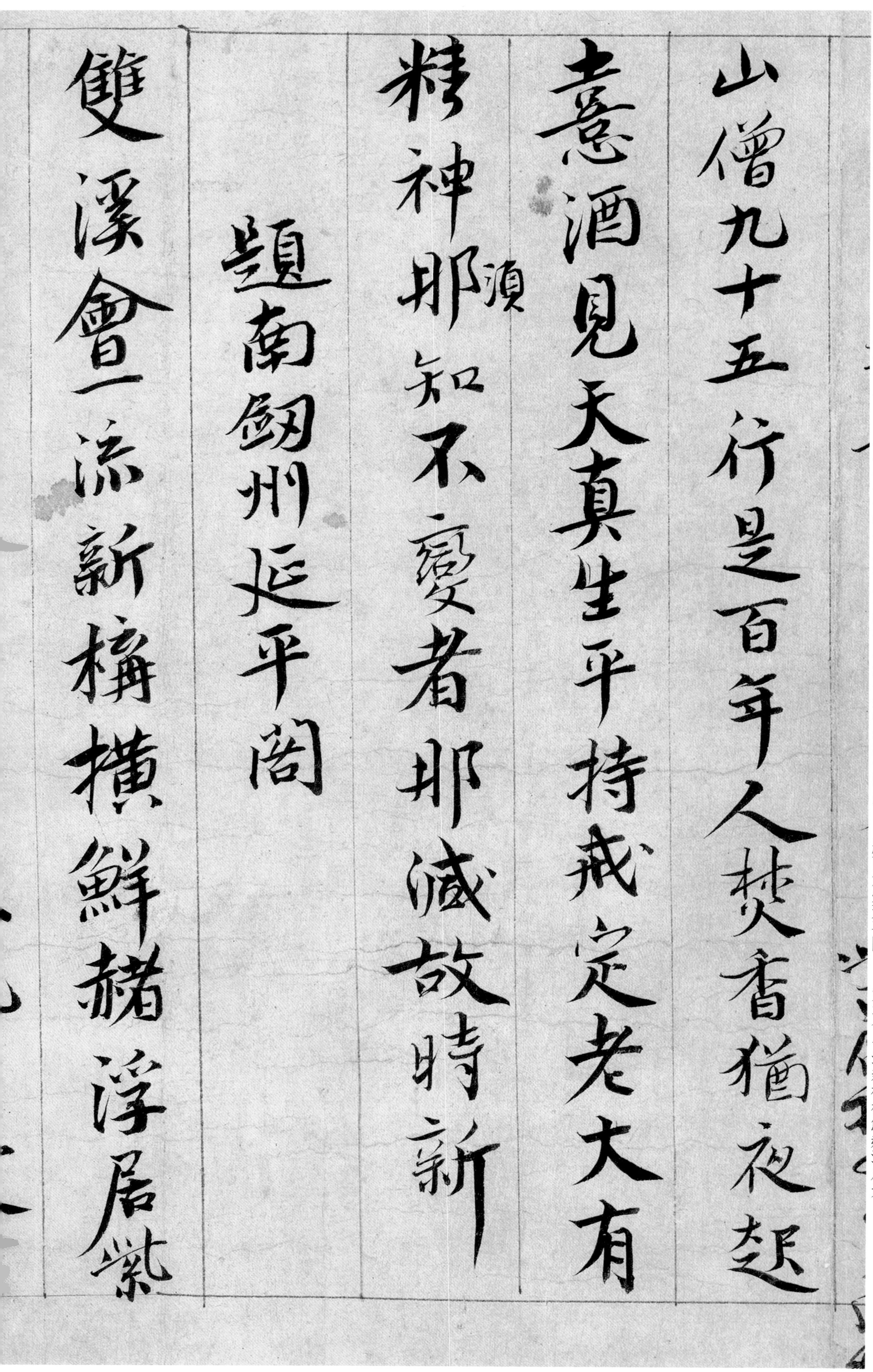

山僧九十五行是百年人焚香猶夜起噫酒見天真生平持戒定老大有精神須知不變者那減故時新

題南劍州延平閣

雙溪會一流新構橫鮮赭浮居紫

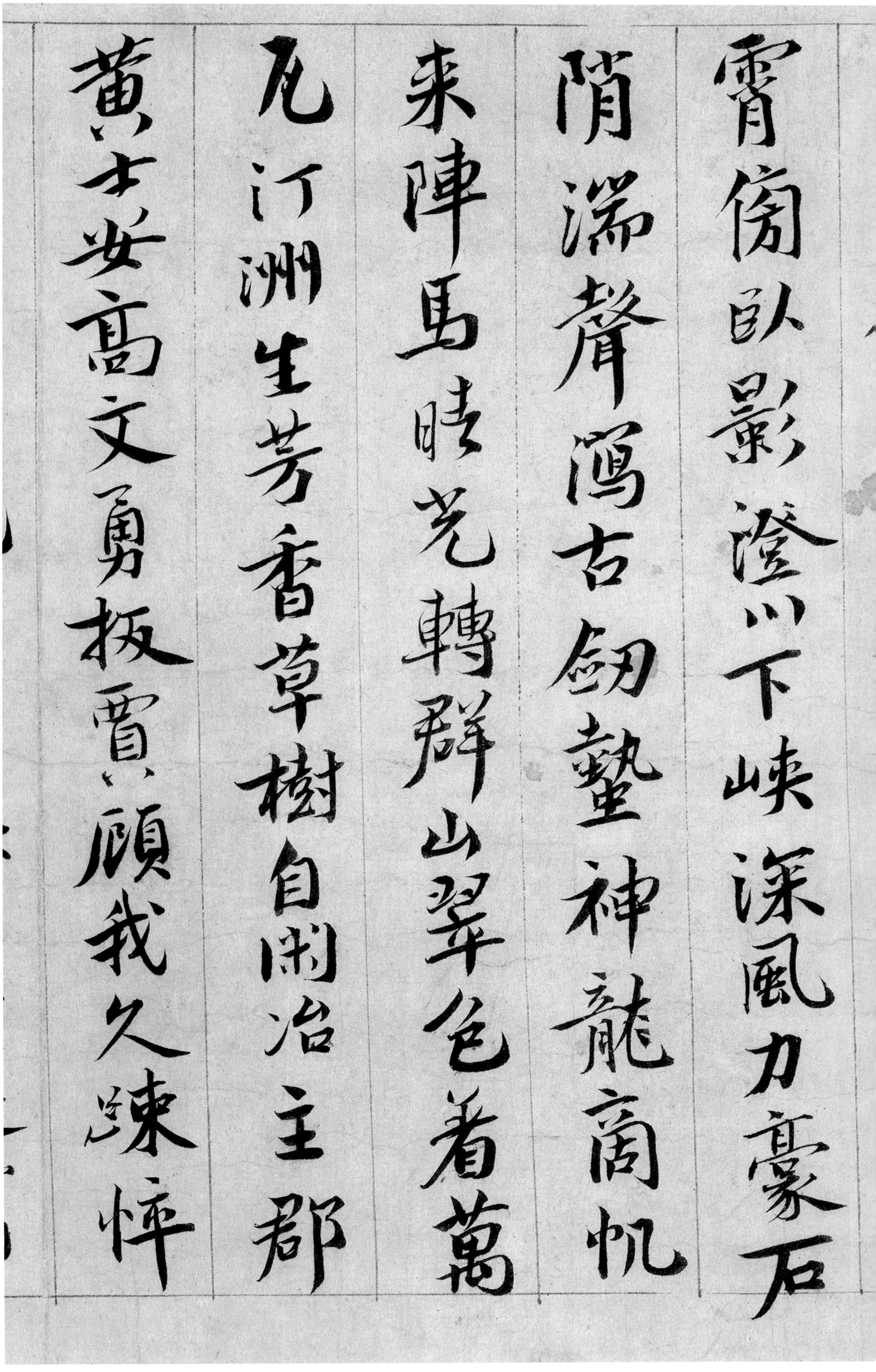

霄傍卧影澄川下峡深風力豪石陗湍聲瀉古劍蟄神龍商帆來陣馬晴光轉群山翠色着萬瓦汀洲生芳香草樹自閑冶主郡黄士安高文勇扳賈顧我久踈悴

霜髭漸盈把臨津張廣筵窮晝傳清斝舞叢驚浪翻歌扇嬌雲惹驩餘適晚霽望外迷空野曾是倦游人意慮亦蕭洒

自漁梁驛至衢州大雪有懷

大雪壓空野驅車猶遠行乾坤初一色晝夜忽通明有物皆遷白無塵頓覺清只看流水在却喜亂山平逐絮飄飄起投花點點輕玉樓天上出銀闕海中生舞極摇

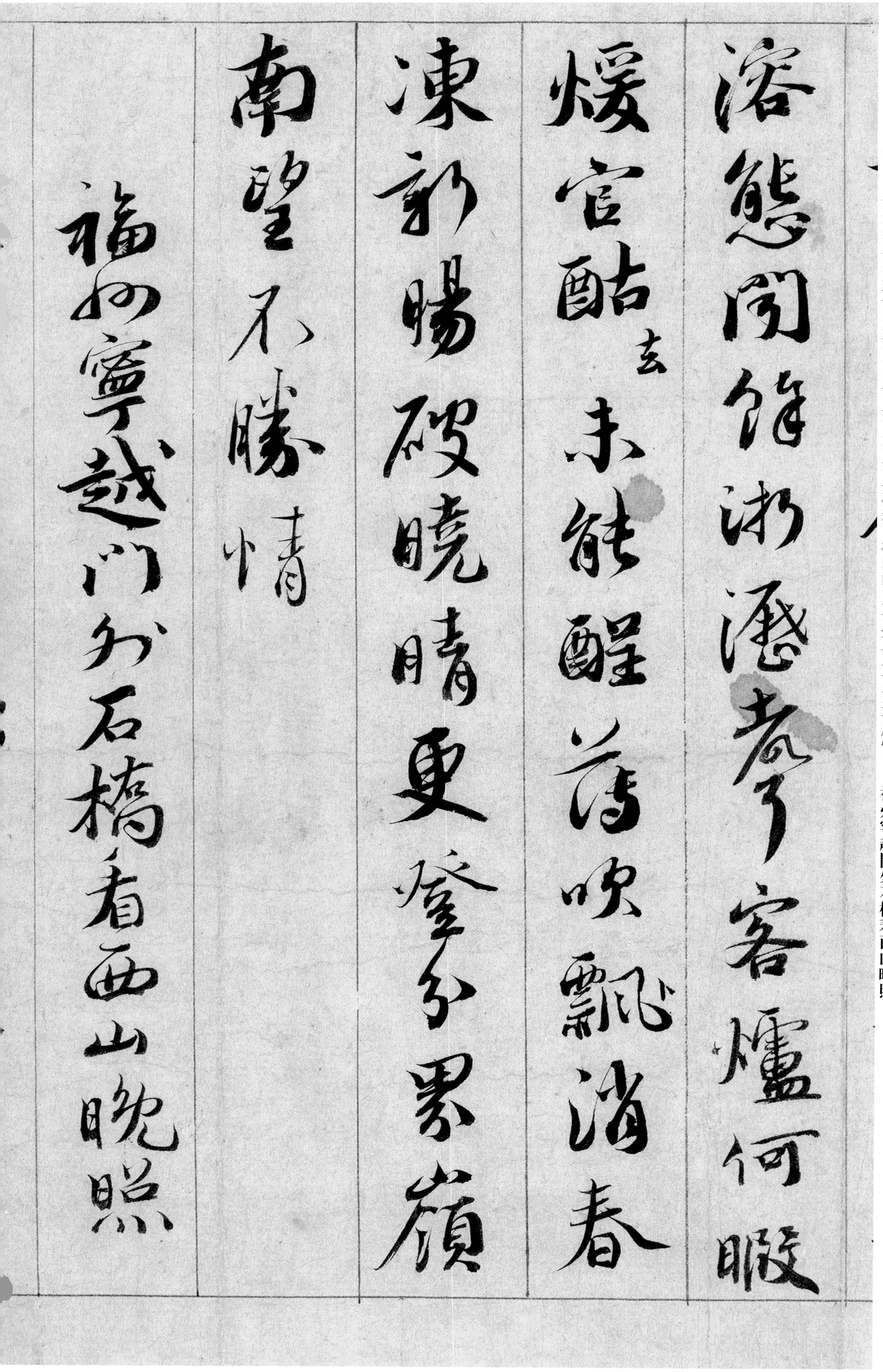

溶態閒餘淅瀝聲客爐何暇煖官酤未能醒薄吹消春凍新暘破曉晴更登分界嶺南望不勝情

福州寧越門外石橋看西山晚照

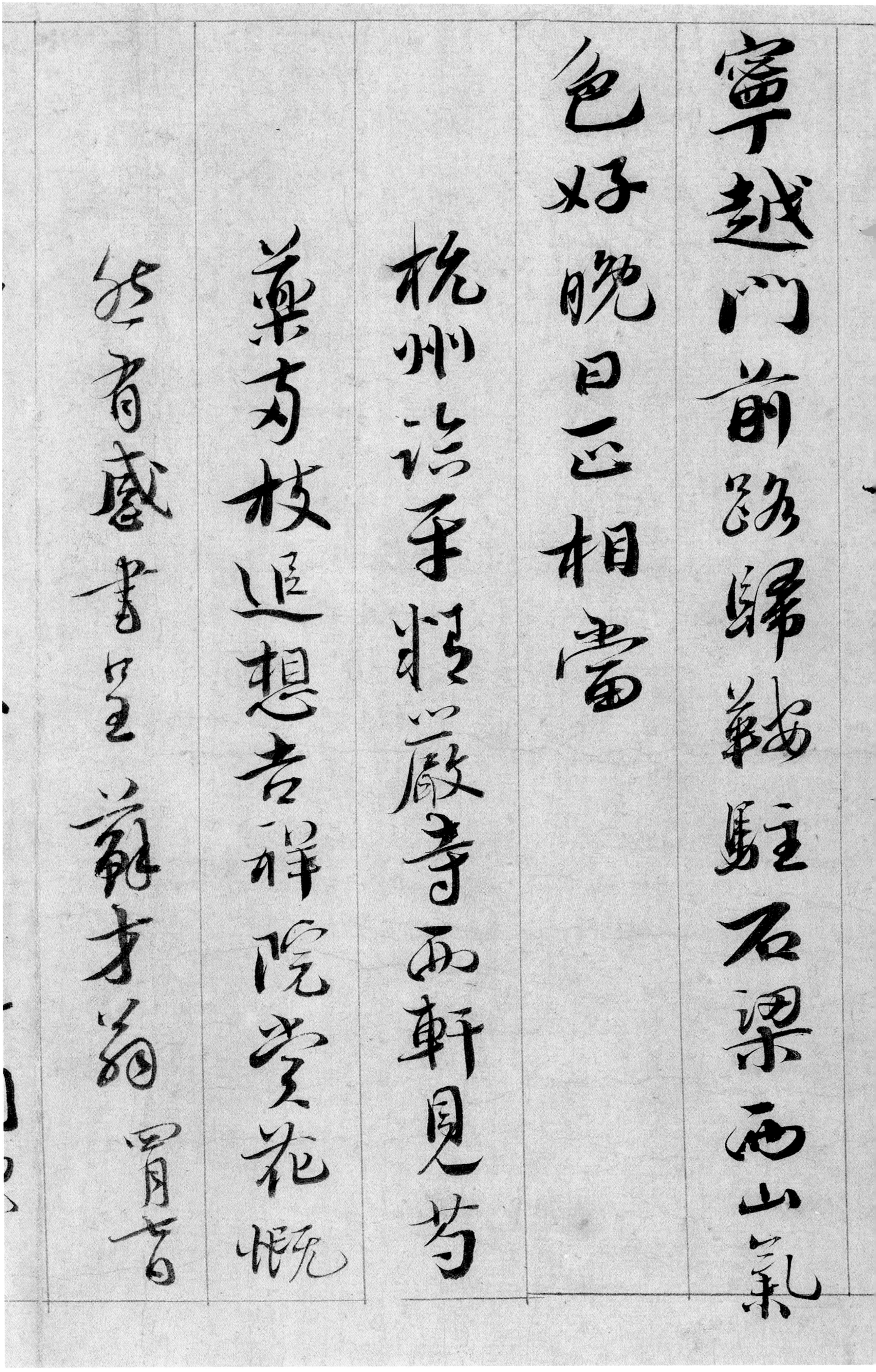

寧越門前路歸鞍駐石梁西山氣色好晚日正相當

杭州臨平精嚴寺西軒見芍藥兩枝追想吉祥院賞花慨然有感書呈蘇才翁四月七日

吉祥亭下萬千枝看盡將開欲落時却是雙紅有深意故留春色綴人思烘簾微照自生光吹面輕風與送香誰把金刀收絶艷醉紅深淺上釵梁的的花名對酒尊欄邊沈醉月黄昏

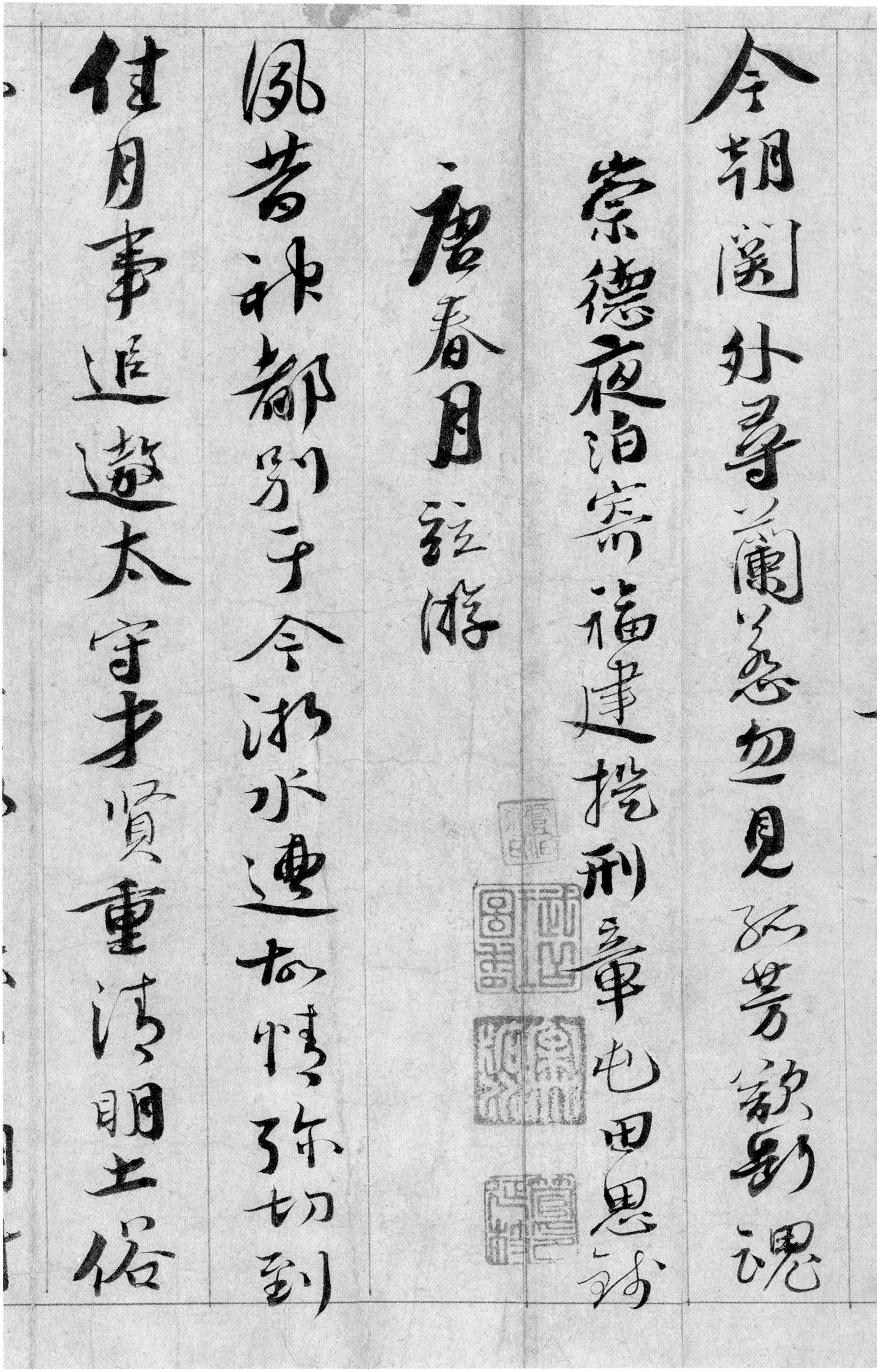

今朝闗外尋蘭惹忽見孤芳欲斷魂

崇德夜泊寄福建提刑章屯田思錢唐春月竝游

凤昔神都别于今浙水遭故情弥切到佳月事追遨太守才賢重清明土俗

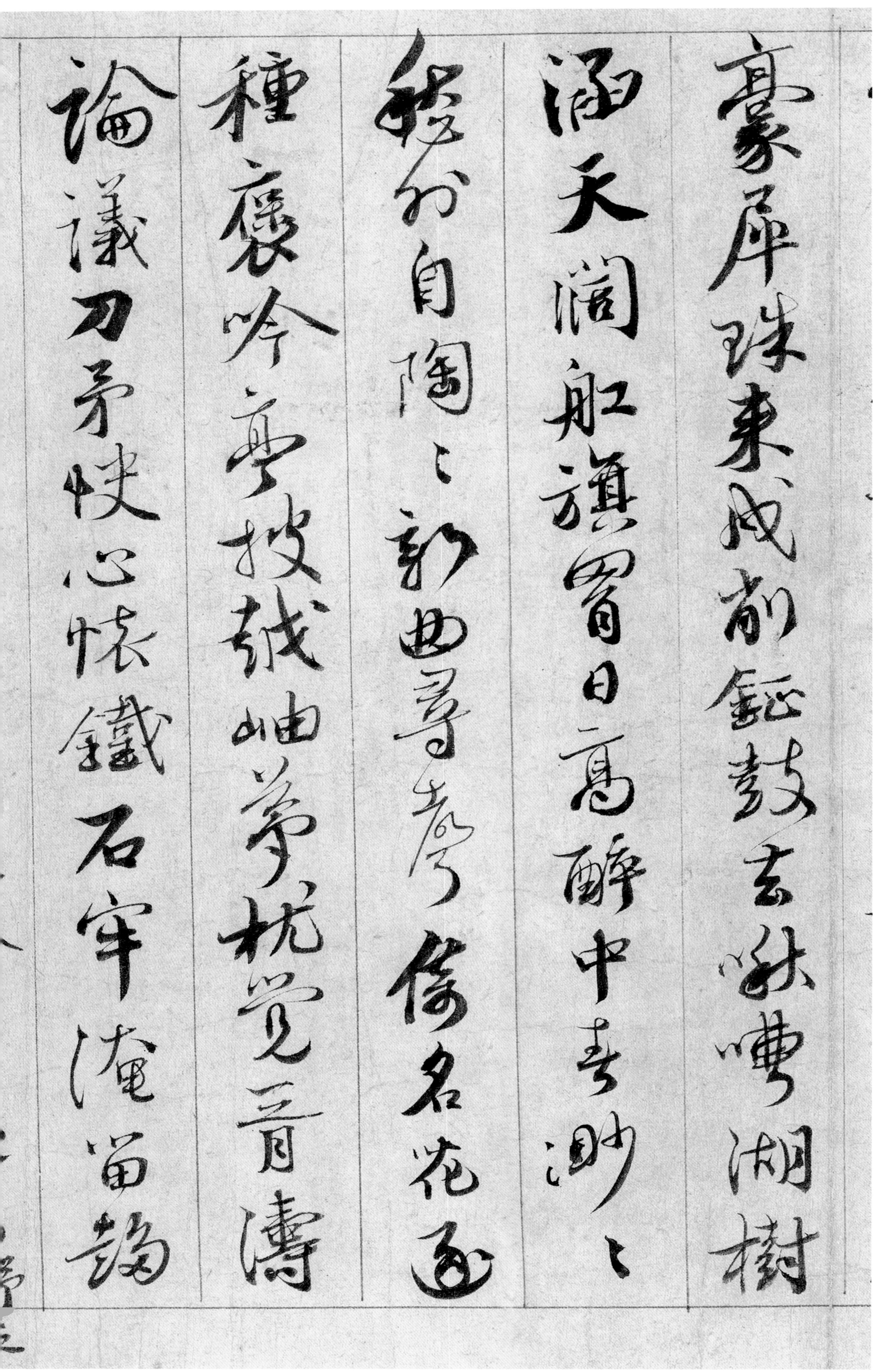

豪犀珠來戍削鉦鼓去啾嘈湖樹涵天闊舡旗罥日高醉中春渺渺愁外自陶陶新曲尋聲倚名花逐種褒吟亭披越岫夢枕覺胥濤論議刀矛快心懷鐵石牢淹留趨

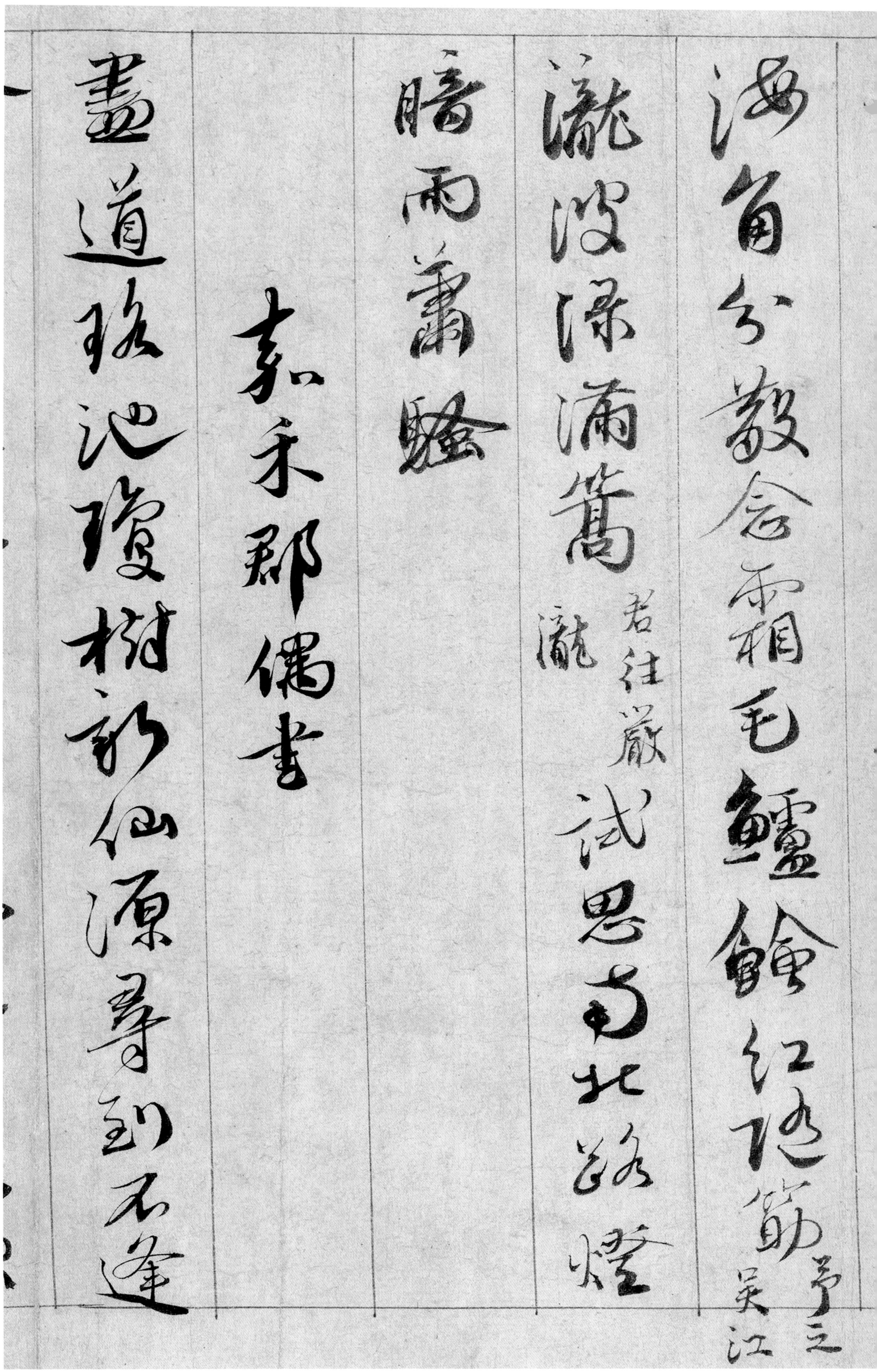

海角分散念霜毛鱸鱠紅隨筋（予之吴江）瀧波緑滿篙（君往嚴瀧）試思南北路燈暗雨蕭騷

嘉禾郡偶書

盡道瑤池瓊樹新仙源尋到不逢

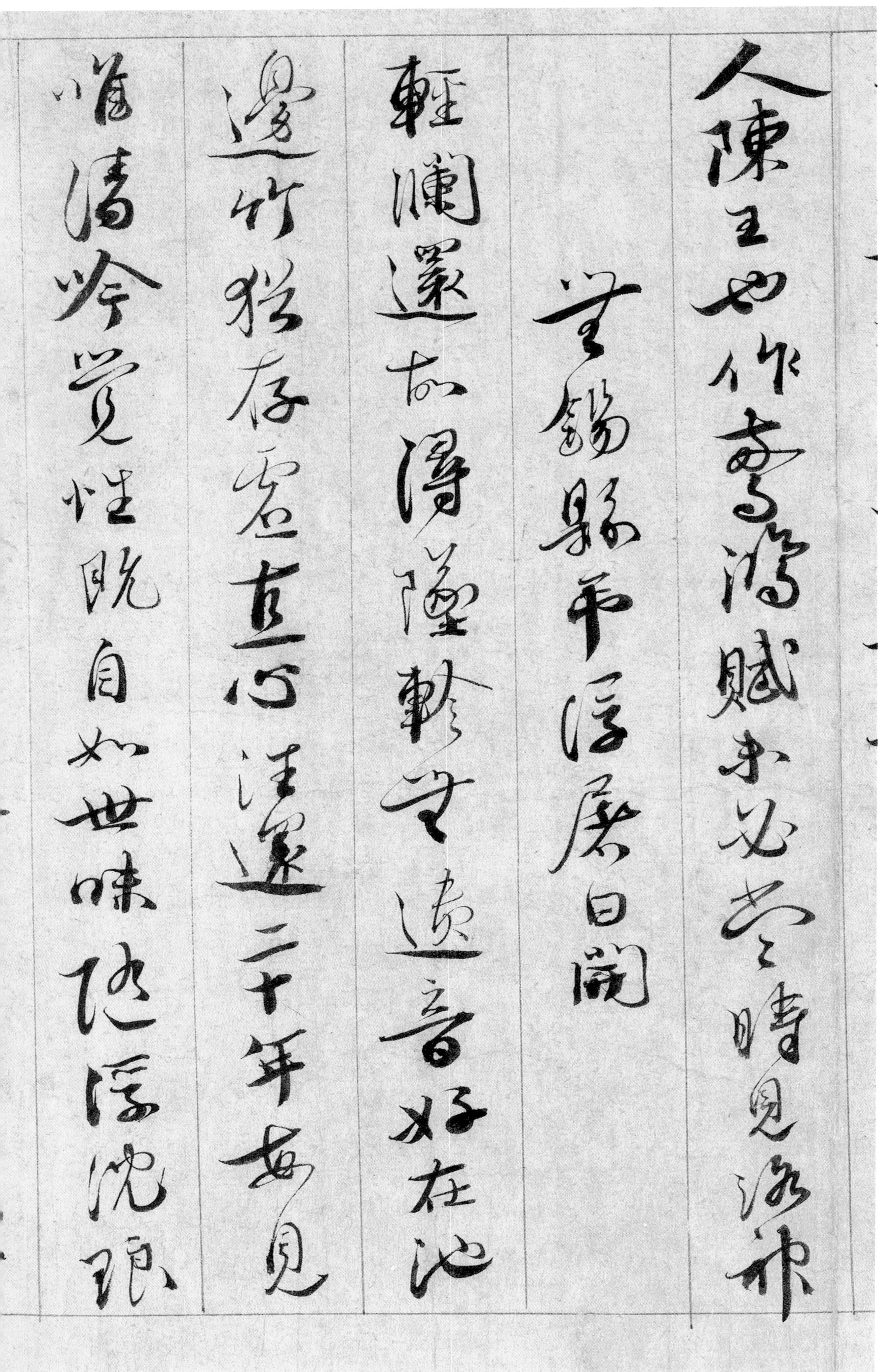

人陳王也作驚鴻賦未必當時見洛神

無錫縣弔浮居日開

輕瀾還故潯墜軫無遺音好在池邊竹猶存虛直心往還二十年每見唯清吟覺性既自如世味隨浮沈琅

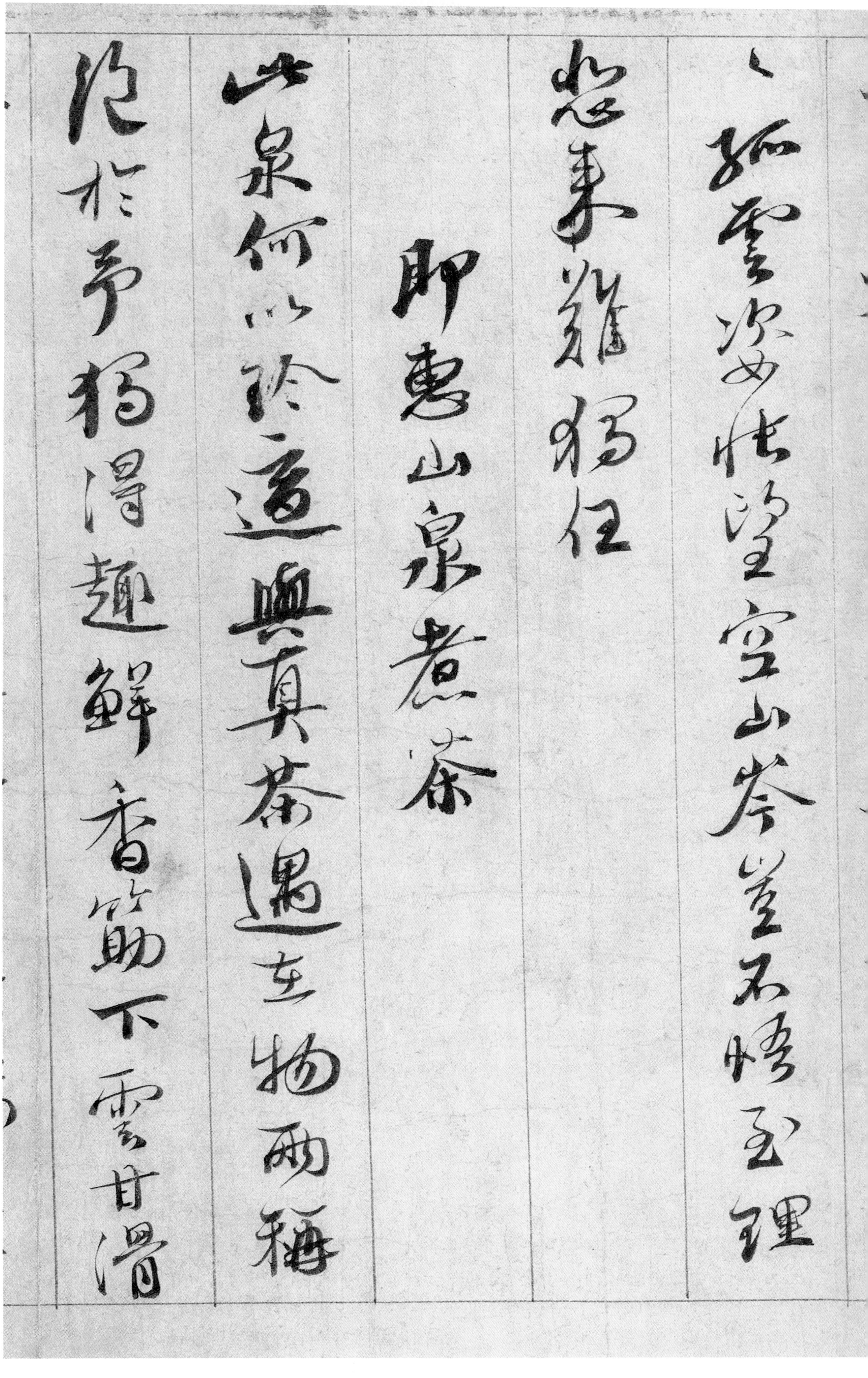

琅孤雲姿悵望空山岑豈不悟至理悲來難獨任

即惠山泉煮茶

此泉何以珍適與真茶遇在物兩稱絶於予獨得趣鮮香筯下雲甘滑

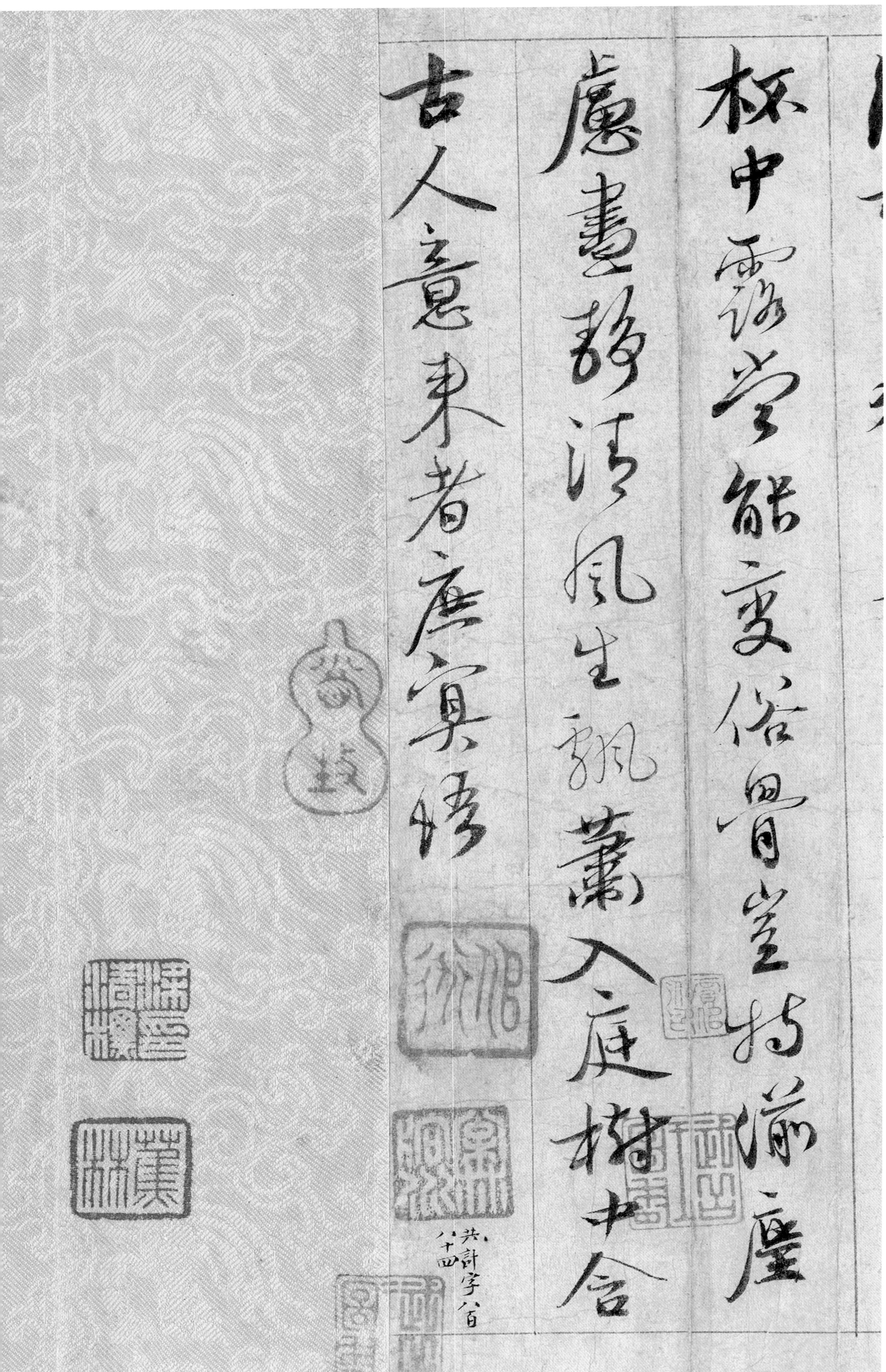

杯中露當能變俗骨豈特湔塵慮晝靜清風生飄蕭入庭樹中含古人意來者庶冥悟

政和二年六月二十三日
子之子仲敬觀

端明蔡公詩藁云此一篇極有古人風格
者 歐陽文忠公所題也 二公齊名一時
其文章皆足以垂世傳後 端明又以翰
墨擅天下片言寸簡落筆人爭藏之以
爲寶玩況盈軸之多而兼有 二公之手
澤乎覽之彌日不能釋手因書於其
後政和丙申夏四月癸未延平楊時書

詩之三

南劍州芋陽鋪見臘月桃花　皇祐二年十二月外除赴京

可笑夭桃耐雪風山家墻外見踈紅
為君持酒一相向生意雖殊寂寞同

書戴處士屋壁

長岡隆雄來北邊勢到舍下方迴旋
三世白士猶醉眠山翁作善天應憐
如彼發源今流泉兒孫何數鷹馬然
有起家者出其間顏翁壽考無窮年

題龍紀僧　居室

山僧九十五行是百年人焚香猶夜起
憙酒見天真生平持戒定老大有
精神耶須知不憂者耶滅故時新

此一篇極有意人可服

題南劍州延平閣

雙溪會一流新構橫鮮赭浮居紫
霄間臥影澄川下峽深風力豪石
陗湍聲瀉古劍蟄神龍商帆
來陣馬晴光轉群山翠色着萬
瓦汀洲生芳香草樹自閑冶主郡
黃士安高文勇扳霄顧我久踈悴
霜鬚漸盈把臨津悵廣筵窮

今朝闕外尋蘭蕙忽見孤芳欲斷魂

崇德夜泊寄福建提刑章屯田　思詠

唐春月鉉游

風昔神都別于今淛水連故情弥切到
佳月事追遊太守才賢重清明土俗
豪犀珠來戍前鉦鼓去喊嘈湖樹
涵天闊舡旗冒日高醉中春渺渺
錢分自陶陶新曲尋春傳名花遍
種褒吟亭披絨袖夢枕覺青濤
論議刀矛快心懷鐵石牢淹留鵲
海角分數含霜毛鱸鱠紅絲筋　亭之吳江
瀧洩深滿篙　若往嚴瀧　試思南北路燈
暗雨蕭騷

嘉禾郡偶書

畫道環池瓊樹新仙源尋到不逢
人陳王也作驚鴻賦未必當時見洛神

無錫縣平浮居白閣

輕瀾還故澤隱軫動遠音好在池
邊竹猶存霜直心往還二十年無見
惟清吟覺性既自如世味隨深沈琅
孤雲姿性望空山茶笑不悟至理
惚來難獨任

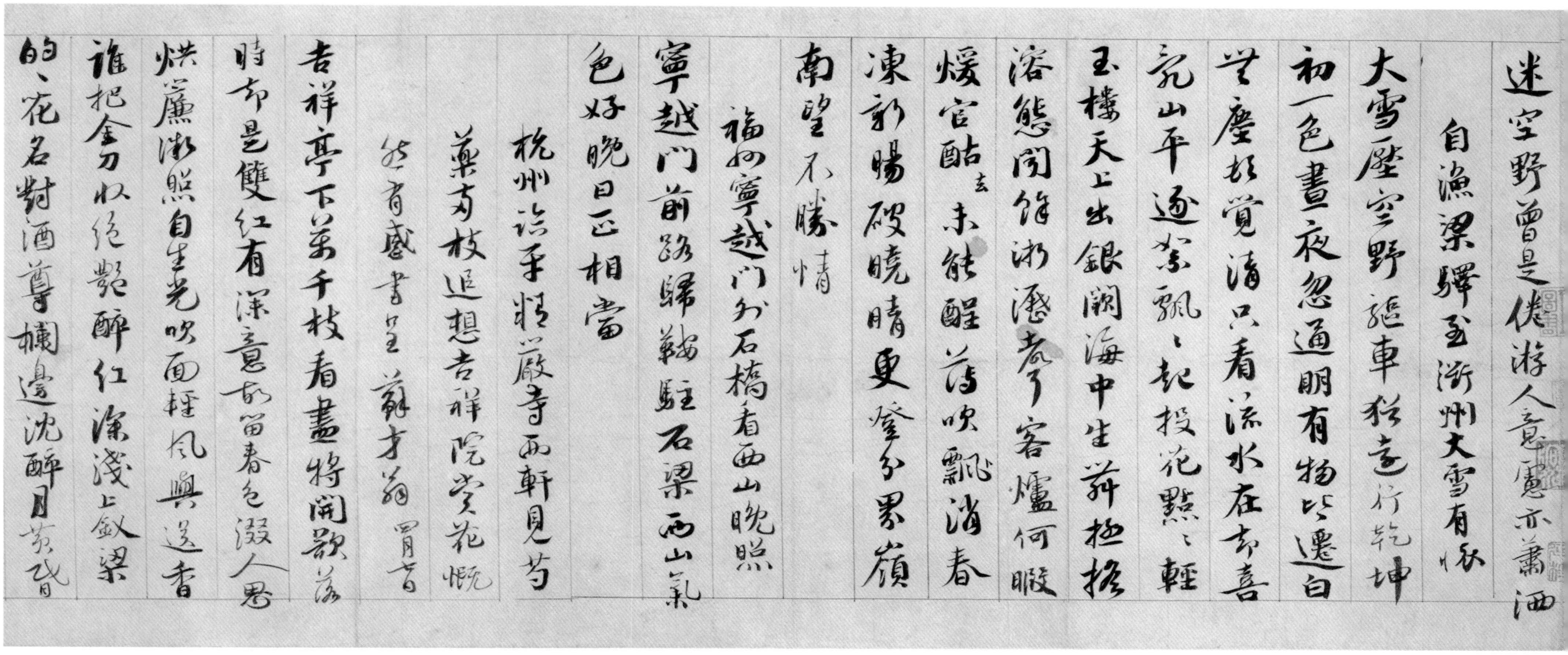
迷空野曾是佚游人意慮亦蕭洒
自漁梁驛至衢州大雪有懷
大雪壓空野駈車犯危行乾坤
初一色晝夜忽通明有物皆遷白
無塵頓覺清只看流水在却喜
亂山平遠樹飄飄起投花點點輕
玉樓天上出銀闕海中生莽極搔
溶態聞餘淅瀝聲寒爐何暇
煖官酤去未能醒薄吹飄消春
凍新暘破曉晴更登分界嶺
南望不勝情
福州寧越門外石橋看西山晚照
寧越門前路歸鞍駐石梁西山氣
色好晚日正相當
杭州臨平精嚴寺西軒見芍
藥兩枝追想吉祥院賞花慨
然有感書呈蘇才翁
吉祥亭下萬千枝看盡將開欲落
時却是雙紅有深意故留春色綴人思
烘簾澹照自生光吹面輕風與送香
誰把金刀收絕艷醉紅深淺上釵梁
的的花名對酒尊欄邊沉醉月茫茫

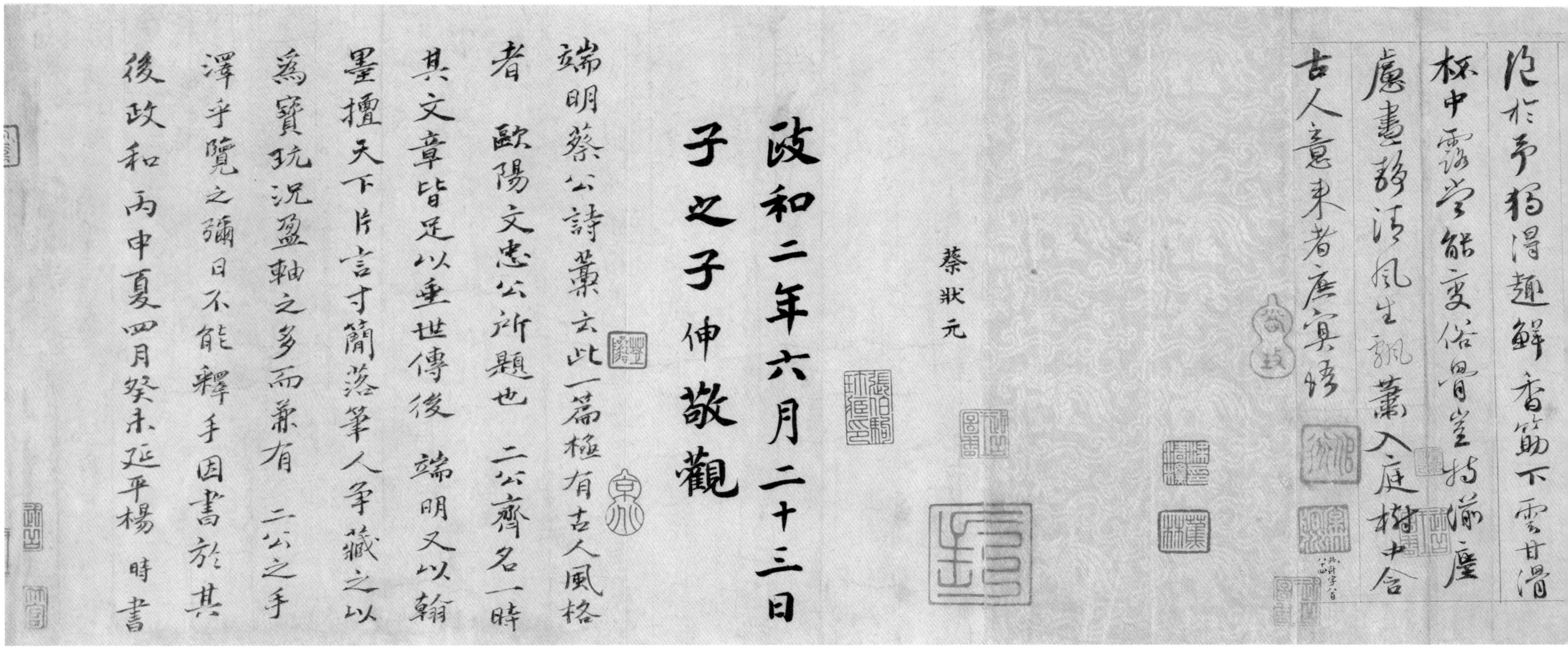
絕於予獨得趣解香篛下雪甘滑
杯中露當能變俗骨豈特湔塵
慮晝靜清風生飄蕭入庭樹中含
古人意來者庶冥悟

蔡𪾢元

政和二年六月二十三日
子之子伸敬觀

端明蔡公詩藁玄此一篇極有古人風格
者歐陽文忠公所題也 二公齊名一時
其文章皆足以垂世傳後 端明又以翰
墨擅天下片言寸簡落筆人爭藏之以
為寶玩況盈軸之多而兼有 二公之手
澤乎覽之彌日不能釋手因書於其
後政和丙申夏四月癸未延平楊時書

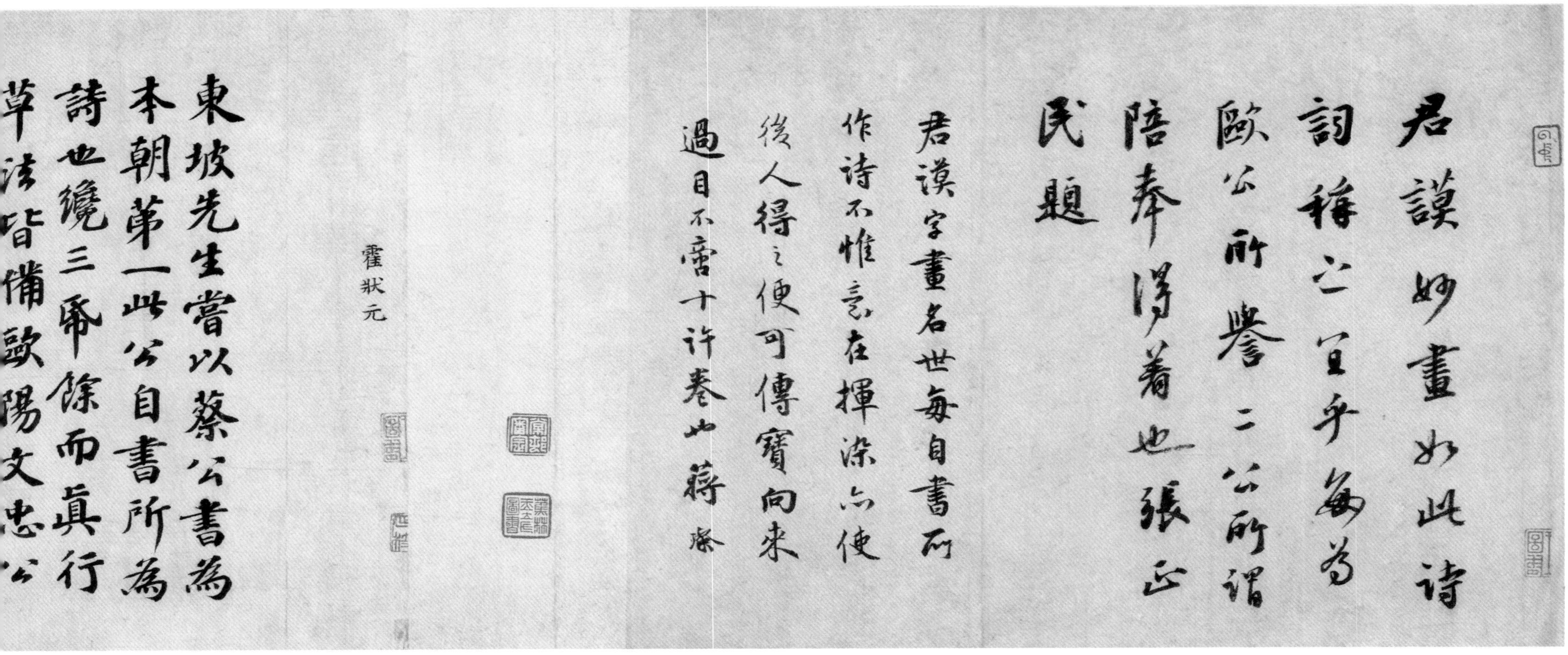

君謨妙畫如此詩
詞稚之宜乎每為
歐公所譽二公所謂
陪奉得著也張正
民題

君謨字畫名世每自書而
作詩不惟意在揮涤而使
後人得之便可傳寶向來
過目不啻十許卷山　蔣燦

霍狀元

東坡先生嘗以蔡公書為
本朝第一此公自書所為
詩也繞三帀餘而真行
草法皆備歐陽文忠公

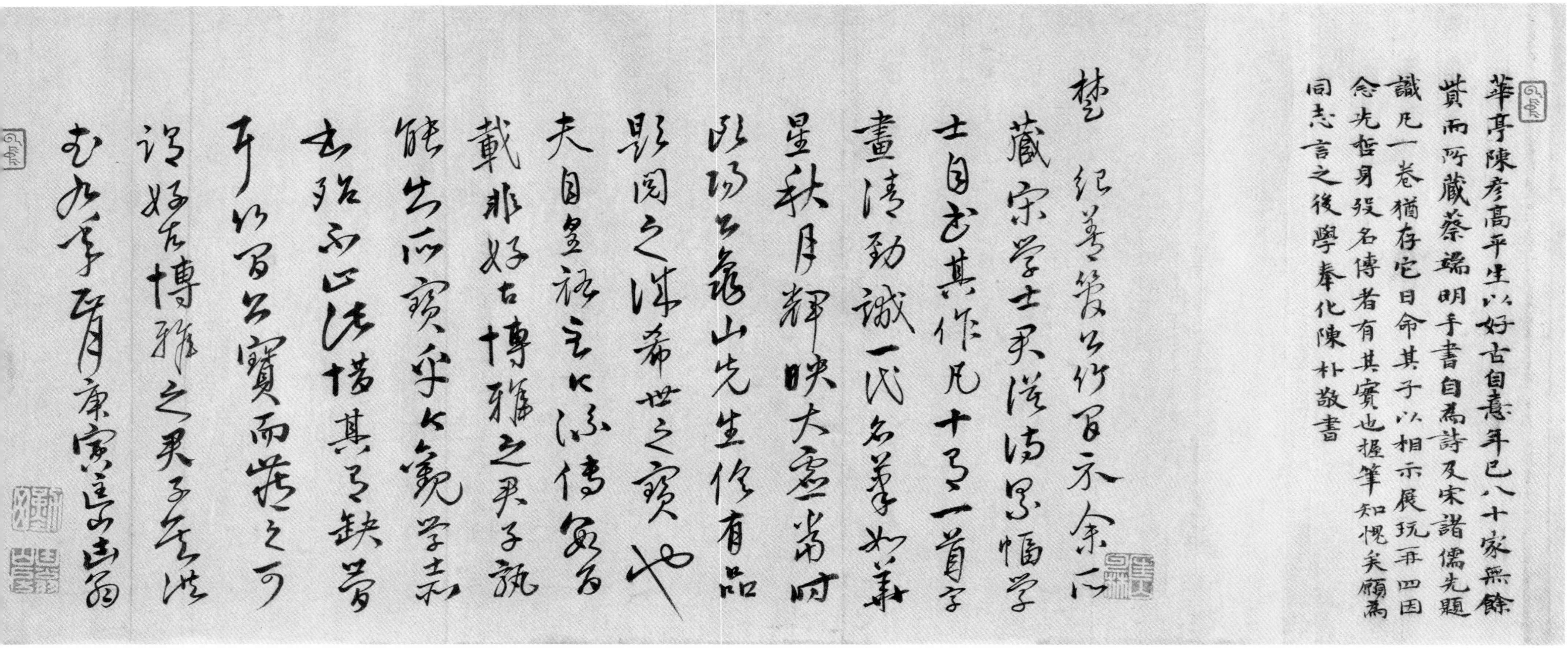

華亭陳彥高平生以好古自意年已八十家無餘
貲而所藏蔡端明手書自為詩及宋諸儒先題
識凡一卷猶存宅日命其子以相示展玩丙四因
念先哲身歿名傳者有其寶也握筆知愧矣願為
同志言之後學奉化陳朴敬書

楚　紀善簽出竹百不余以
藏宋學士买漢清泉恬學
士自武其作凡十弖一首字
畫清勁識一氏名筆如兼
呈秋月輝映大靈常時
眇陽云雲山先生修有品
影閲之沐希世之寶也
夫自皇祖言此涂寫名
載那好古博雅之买子就
能先此寶乎大氣學志
古路而正法楷其弓缺芳
于以寫名寶而裝之可
詩妤君博雅之买子冬洗
武九季肩　康寅三至出囲